S0-BZT-346

爸爸，
我害怕了怎么办？

献给我的妈妈

——阿斯特丽德·戴斯博尔德

献给让-伊夫

——波利娜·马丁

图书在版编目（CIP）数据

爸爸，我害怕了怎么办？/(法)阿斯特丽德·戴斯博尔德著;(法)波利娜·马丁绘;邱金媛译. -- 北京:中信出版社, 2018.8 (2019.6重印)

(幼儿心理安抚绘本)

ISBN 978-7-5086-8802-2

Ⅰ.①爸… Ⅱ.①阿… ②波… ③邱… Ⅲ.①儿童故事-图画故事-法国-现代 Ⅳ.①I565.85

中国版本图书馆CIP数据核字(2018)第058085号

Ce que papa m'a dit
Text by Astrid Desbordes
Illustration by Pauline Martin

爸爸，我害怕了怎么办？
（幼儿心理安抚绘本）

著　　者：[法]阿斯特丽德·戴斯博尔德
绘　　者：[法]波利娜·马丁
译　　者：邱金媛
出版发行：中信出版集团股份有限公司
（北京市朝阳区惠新东街甲4号富盛大厦2座　邮编　100029）
承 印 者：深圳当纳利印刷有限公司

开　　本：787mm×1092mm 1/16　印　　张：3　字　　数：29千字
版　　次：2018年8月第1版　印　　次：2019年6月第7次印刷
京权图字：01-2016-8768　广告经营许可证：京朝工商广字第8087号
书　　号：ISBN 978-7-5086-8802-2
定　　价：75.00元（全2册）

策划出品：中信童书·如果童书
策划编辑：安　虹　赵媛媛
责任编辑：陈晓丹
营销编辑：张　远
封面设计：刘潇然
内文设计：于海滨

服务热线：400-600-8099
投稿邮箱：author@citicpub.com

爸爸，我害怕了怎么办？

[法] 阿斯特丽德·戴斯博尔德 / 著　[法] 波利娜·马丁 / 绘
邱金媛 / 译

中信出版集团 · 北京

阿奇望着天空中的燕群。

爸爸说："这些燕子要飞到地球的另一端。"

阿奇问："我长大以后，是不是也可以像它们一样去那么远的地方？"

爸爸说："你去的地方可能会比那里还要遥远。"

阿奇问："起风了怎么办？"

爸爸说：“起风了，就有风停的时候。”

阿奇问：“海浪溅到我身上怎么办？”

爸爸说："海浪溅到你身上，那也只是水而已。"

爸爸说：“天黑了，离天亮也就不远了。”

阿奇问：“我害怕了怎么办？”

爸爸说："你害怕了，那就给自己加油打气。"

阿奇问："我迷路了怎么办？"

爸爸说：“你迷路了，前面还有别的路可以走。”

阿奇问：“我无聊了怎么办？”

爸爸说：“你无聊了，那就走近一些去观察，
你会有不一样的发现。”

阿奇问：“雷声轰隆隆怎么办？”

爸爸说："雷声轰隆隆，也不会把树连根拔起。"

阿奇问：“我陷入泥地怎么办？”

爸爸说：“你陷入了泥地，那就抬头看看天上的星星。”

阿奇问：“河水流得太急怎么办？”

爸爸说：“河水流得太急，那你就跳过去。”

阿奇问："我感到孤单怎么办？"

爸爸说："你感到孤单了，那就睁大双眼、
仔细倾听，你会找到朋友的。"

阿奇问："人太多怎么办？"

爸爸说：“人太多的话，那你就离开人群，自己待一会儿。”

阿奇问：“我摔倒了怎么办？”

爸爸说：“你摔倒了，那就哭出来，
但是要坚强些。”

阿奇问："我还太小怎么办？"

爸爸说：“你觉得自己还小，那就让内心再强大些。”

阿奇问："你离我太远怎么办？"

爸爸说："如果你觉得我很遥远，那是因为你没有用心去看。"

阿奇问：“我难过了怎么办？”

爸爸说：“你难过了，那就走得慢一些，
快乐还会回来的。”

阿奇问：“哦，那我现在是不是就可以开始这样的长途旅行了？”

爸爸说：“当然可以，但是别太着急，你有一生的时间哪。”